SAVAIS-TU?
Les Mantes religieuses

SAVAIS-TU?
Les Mantes religieuses

Alain M. Bergeron
Michel Quintin
Sampar

Illustrations de Sampar

ÉDITIONS
MICHEL
QUINTIN

Catalogage avant publication de Bibliothèque et Archives
nationales du Québec et Bibliothèque et Archives Canada

Bergeron, Alain M.

   Les mantes religieuses

   (Savais-tu?)
   Éd. originale: 2009.
   Pour enfants de 7 ans et plus.

   ISBN 978-2-89435-505-3

   1. Mante religieuse - Ouvrages pour la jeunesse. 2.
Mante religieuse - Ouvrages illustrés - Ouvrages pour la
jeunesse. I. Quintin, Michel. II. Sampar. III. Titre. IV.
Collection: Bergeron, Alain M.. Savais-tu?.

QL505.9.M35B47 2011   j595.7'27   C2010-942458-1

Le Conseil des Arts du Canada		Patrimoine
The Canada Council for the Arts		canadien

SODEC
Québec

Canadian
Heritage

La publication de cet ouvrage a été réalisée grâce au soutien
financier du Conseil des Arts du Canada et de la SODEC.
De plus, les Éditions Michel Quintin reconnaissent l'aide
financière du gouvernement du Canada par l'entremise du
Fonds du livre du Canada pour leurs activités d'édition.

Gouvernement du Québec – Programme de crédit d'impôt
pour l'édition de livres – Gestion SODEC

ISBN 978-2-89435-505-3

Dépôt légal – Bibliothèque et Archives nationales du Québec, 2011
Dépôt légal – Bibliothèque et Archives Canada, 2011

Éditions Michel Quintin
C.P. 340, Waterloo (Québec)
Canada J0E 2N0
Tél.:   450 539-3774
Téléc.: 450 539-4905
editionsmichelquintin.ca

11-WKT-1

Imprimé en Chine

Savais-tu que la mante religieuse tire son nom de la posture qu'elle adopte? Repliées et accolées devant elle, ses deux pattes avant évoquent les mains jointes d'une personne en train de prier.

Savais-tu que la mante religieuse est l'un des rares insectes capables de tourner la tête dans tous les sens sans bouger le reste de son corps?

Savais-tu que les mantes religieuses utilisent très peu leurs pattes avant pour marcher? Elles s'en servent surtout pour effrayer l'ennemi ou attraper leurs proies.

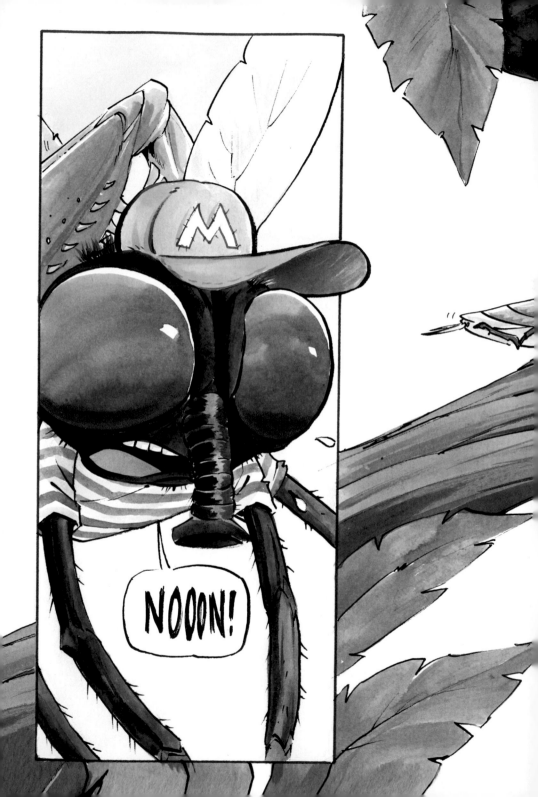

Savais-tu que ces insectes carnivores ne mangent que des animaux vivants ? Étant diurnes, ils ne chassent que le jour.

Savais-tu que leurs proies sont généralement d'autres insectes comme des criquets, des sauterelles, des mouches, des papillons et des abeilles?

Savais-tu qu'elles se nourrissent à l'occasion de jeunes souris, d'oisillons, de lézards, de grenouilles et d'autres petits animaux?

Savais-tu que, de mœurs cannibales, les individus de grande taille dévorent leurs congénères plus petits?

Savais-tu qu'avec sa coloration verte ou brune et le fait qu'elle bouge peu, la mante religieuse se confond parfaitement avec son environnement?

Savais-tu que la mante religieuse chasse à l'affût? Elle peut rester immobile pendant des heures, mais lorsqu'elle repère une proie,

c'est en moins d'un dixième de seconde qu'elle se jette dessus. À cette vitesse, une mouche alerte n'a même pas le temps de s'enfuir.

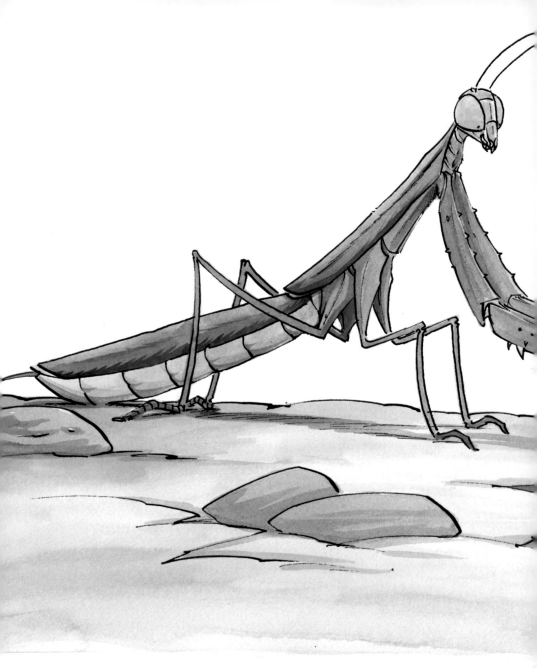

Savais-tu que la mante religieuse saisit sa victime avec ses pattes antérieures appelées « pattes ravisseuses » ? Ultrasophistiquées, celles-ci sont garnies de pointes acérées servant à attraper et à retenir les proies.

Savais-tu que ses pattes ravisseuses se referment sur elles-mêmes tels de véritables couteaux de poche?

Savais-tu que, de cette façon et grâce à la double rangée de crochets dont sont munies ses pattes ravisseuses, la mante religieuse peut non seulement capturer, mais aussi maintenir des proies volumineuses ? Même si elles

sont aptes à résister et à se défendre, ses victimes ne peuvent se dégager de ce terrible étau.

Savais-tu que la mante religieuse mange sa proie en commençant par la tête? Elle dévore ses victimes avec une lenteur toute méthodique.

Savais-tu qu'elle est solitaire, sauf pendant l'accouplement?

Savais-tu que l'accouplement peut durer plusieurs heures et parfois même toute une journée?

Savais-tu que, pour s'accoupler, le mâle doit approcher la femelle avec beaucoup de prudence? Si la femelle ne le repousse pas, il grimpe alors sur son dos.

Savais-tu que le mâle doit malgré tout se méfier d'elle? Étant nettement plus grande, la femelle dévore parfois son partenaire pendant ou après la copulation.

Savais-tu que lors de la copulation, la femelle n'a qu'à tourner sa petite tête triangulaire extrêmement mobile vers son partenaire pour lui grignoter la tête?

Savais-tu que chez la mante religieuse, ce phénomène de cannibalisme lors de l'accouplement est commun, surtout en captivité?

Savais-tu qu'à cause de leur système nerveux décentralisé, les mantes religieuses peuvent continuer à remuer même après avoir perdu une partie de leur corps?

Savais-tu que, même après avoir perdu la tête, le mâle poursuit l'accouplement ? Si l'accouplement n'est pas interrompu, c'est qu'il est contrôlé par le dernier ganglion abdominal.

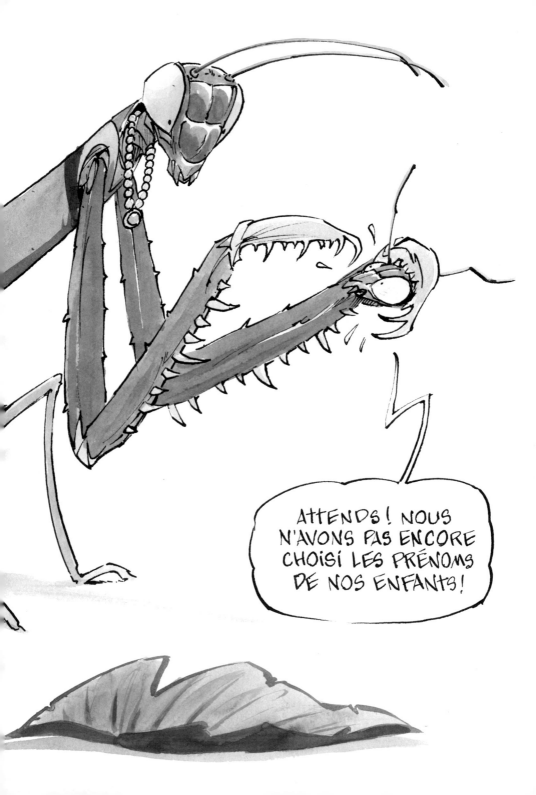

Savais-tu que, loin d'affaiblir son ardeur, cette décapitation intensifie les mouvements de son abdomen qui deviennent plus amples et plus vifs?

Savais-tu que, même décapitée, une femelle ne s'arrête pas de pondre?

Savais-tu que les femelles peuvent pondre jusqu'à 400 œufs à la fois ?
Au fur et à mesure qu'elles pondent, elles couvrent les œufs d'une

sécrétion mousseuse qui durcit rapidement à l'air. Sorte de boîte à œufs, cette structure protectrice est appelée oothèque.

Savais-tu qu'à la naissance, mis à part leurs ailes qui ne sont pas encore développées, les jeunes ressemblent à des adultes miniatures?

Savais-tu qu'il n'est pas rare que les nouveau-nés s'entre-dévorent?

Savais-tu que les ennemis naturels des mantes religieuses sont les oiseaux, les petits mammifères et les reptiles?

Savais-tu que l'espérance de vie des espèces tropicales est d'environ un an?

Savais-tu que, dans les régions tempérées, les adultes meurent avec les premiers gels de la saison froide? Seuls les œufs isolés dans l'oothèque, survivent à l'hiver.

SAVAIS-TU qu'il y a d'autres titres?

Les Dinosaures

Les Rats

Les Piranhas

Les Crapauds

Les Sangsues

Les Crocodiles

Les Serpents

Les Corneilles

Les Caméléons

Les Hyènes

Les Scorpions

Les Goélands

Les Dragons
de Komodo

Les Pieuvres

Les Diables
de Tasmanie

TOUT EN **COULEURS**